SABIDURÍA

Textes
Josée Godbout

Photos
Jorge Machado Castro

Sabidurìa
© DRIVE, Josée Godbout, 2013

Tous droits réservés

Dépôt légal : 2ᵉ trimestre 2013
Bibliothèque nationale du Québec

ISBN 978-2-9813862-1-2

Remerciements

À nos parents, familles et proches, pour leur amour et leur respect. À nos clients également pour la confiance en la cocréation. Enfin et surtout, à la Mère Nature, pour tant de moments inoubliables.

Acknowledments

To our parents, families and friends, for their love and respect. To our clients, for their trust and collaboration. Finally, and most importantly, to Mother Nature, for all Her unforgettable moments.

Agradecimientos

A nuestros padres, familias y amigos igualmente, por su amor y respeto. A nuestro clientes, por la confianza en la cocreación. Y sobre todo, a la Madre Naturaleza por tantos momentos inolvidables.

À / To / A : Anne, Ariane, Bernard, Delphine, Dominique, François, Iqi, Isidoro et Margarita, Janic, Jennifer, Laurent, Louise, Lucie, Luis, Maricarmen, Marie-Claude, Michael, Michel, Michel-Henri, Nathalie, Peter, Pierre, René.

In Lak'ech Ala Ken (maya)

Ce que tu peux, je le peux,
Ce que je peux, tu le peux,
Nous sommes égaux.

What you can do, I can do,
What I can, you can too,
We are the same.

Lo que tu puedes, yo puedo,
Lo que yo puedo, tu puedes,
Somos iguales.

Sommaire

Contents

Presentación

Introduction

Josée Godbout et Jorge Machado Castro présentent ici un recueil de mots et d'images inspiré de la sagesse maya. Ce livre est la continuité de leur rencontre. Voici l'occasion de partager leur cheminement et de découvrir la beauté de cette culture et de ces terres.

Introduction

Josée Godbout and Jorge Machado Castro present here a collection of words and images inspired by Mayan wisdom. A continuation of their encounter, this book offers the chance to share their progress and discover the beauty of this culture and land.

Introducción

Josée Godbout y Jorge Machado Castro presentan aquí una recopilación de palabras é imágenes inspirada en la sabiduría maya. Los autores se conocieron en México. He aquí la ocasión de compartir su recorrido y descubrir la belleza de esa cultura y esas tierras.

Sagesse

Inspiré de la symbolique des quatre points cardinaux, ce recueil est divisé en quatre sections. Suivant les traditions de la culture maya, la Terre est régulièrement remerciée par des cérémonies. En ce sens, les versets de ce livre sont des objets d'offrandes et de méditation. Le but n'est pas de les comprendre, mais de *s'en laisser inspirer.*

Wisdom

Inspired by the symbolism of the four cardinal points, this collection is divided into four sections. Following Mayan traditions, the Earth is regularly thanked with ceremonies. In this sense, the verses in this book are offerings and meditations. The goal is not to understand, but to *let oneself be inspired.*

Sabiduria

Inspiradas en el simbolismo de los cuatro puntos cardinales, esta compilación se compone igualmente de cuatro secciones. Siguiendo las tradiciones de la cultura maya, periódicamente se celebran ceremonias para dar gracias a la tierra. En este sentido, los versículos de este libro son objetos de ofrenda y meditación. El propósito no es entenderlos, sino *dejarse inspirar por ellos.*

Flora
Est - East - Este

Semblables

Et en même temps incomparables.
Dansant librement dans leur unicité.

Alike

Yet at the same time incomparable.
Dancing freely in their unicity.

Similares

Y al mismo tiempo únicas.
Bailando en vida con unicidad.

Solidement ancré,
Puiser l'essentiel
Pour contribuer à *purifier.*

Drawing on the essence
Solid and anchored
Helping to *purify.*

Sólidamente anclado,
Extraer lo esencial
Para contribuir a *purificar.*

La mort et la vie se côtoient,
Issus de la même racine.

Life and death together
From the same root.

La vida y la muerte se codean
Provenientes de la misma raíz.

Aujourd'hui, je reconnais la beauté qui m'habite sous toutes ses formes.
Je la remercie pour sa grandeur à la hauteur de cette nature.
À son image, je suis un *paysage sacré,*
Changeant au fil des saisons,
Toujours divin et grand.

Today, I acknowledge the beauty within me in all its forms.
I'm thankful for this greatness which measures up in nature.
As its image I am *sacred landscape,* changing with the seasons,
Always great and divine.

Hoy reconozco la belleza que en todas sus formas me habita.
Gracias le doy por su inmensidad a la altura de esta naturaleza.
A su imagen, soy un *paisaje sagrado,*
Cambiando al correr de las estaciones,
Siempre grande y divino.

Je ne sais pas exactement
Où ce *chemin* me mènera.
Et pourtant, je sais
Que le secret est de continuer à marcher.

I do not know exactly
Where this *path* will lead me.
Thus I know
That to keep on walking
Is the key.

No sé a ciencia cierta
A dónde este *camino* me conducirá.
Mas sin embargo sé
Que la clave está
El seguir andando.

Le bonheur se *hume*
Le cœur ouvert.

Happiness is *sensed*
Open-hearted.

La felicidad se *respira*
A corazón abierto.

L' *abondance* est comme un fruit.
Elle se cueille quand elle est mûre.

Abundance is like a fruit
It's picked once ripened.

La *abundancia* es como un fruto
Que se cosecha cuando madura.

Laisser entrer la lumière
Afin de monter plus haut,
Entrelacés pour se soutenir.

To let the light in
To rise higher,
Entwined in support of each other.

Dejar entrar la luz
Para ascender más alto
Entrelazados sosteniéndonos.

Merci *Mère Terre* de me nourrir
Et de créer les couleurs de l'abondance
Aux saveurs du partage.

Thank you *Mother Earth* for nourishing me
And for creating the colors of abundance
Savoring the sharing.

Gracias *Madre Tierra* por nutrirme
Y por crear los colores de la abundancia
Con el sabor del poder compartir.

Répandre les *semences* de la beauté et de la Paix
pour que fleurisse l'humanité.

Scatter the *seeds* of beauty and peace
So humanity may bloom.

Esparcir las *semillas* de la belleza y de la paz
Para que la humanidad florezca.

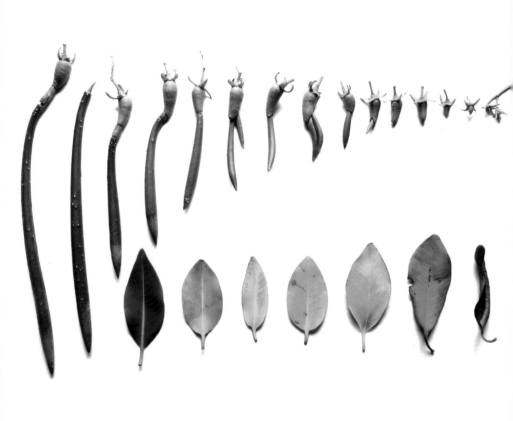

Grandir pour produire les semences
Qui fleuriront demain
Et mourir pour alimenter le *terreau*,
Berceau d'une nouvelle vie.

Growing to produce the seeds
That will flower tomorrow
The dying nourish the *soil*
Cradle of this new life.

Crecer para producir las semillas
Que florecerán mañana
Y morir para fecundar la *tierra*
Cuna de una nueva vida.

J'enfante ma vie
Chaque fois que je m'arrête
Pour l'ensemencer.

I give birth to new life
Every time I come to a halt
To sow new seeds.

Doy a luz mi vida
Cada vez que me detengo
A sembrar en ella.

Fauna
Sud - South - Sur

Revenir à la surface
Me permet de *Vivre*.

Coming back to the surface
Allows me to *Live*.

Retornar a la superficie
Me permite *Vivir*.

S'adapter
Sans perdre la pureté de son essence.

To adapt
Without losing one's essence.

Adaptarse
Sin perder la pureza de nuestra esencia.

Reconnaitre sa fertilité
Pour engendrer un futur en présence du passé
Et *muer* conscient de se renouveler.

Recognize one's fertility
To generate a future in the presence of the past
Molts conscious of renewal.

Reconocer su fecundidad
Para engendrar un futuro en presencia del pasado
Y *transformarse* consciente de la renovación.

Voler

C'est d'abord me reconnaitre des ailes
Voler vers toi,
C'est les utiliser avec délicatesse.

To fly

First I recognize that I have wings
To fly towards you
Is to use them gently.

Volar

Es ante todo reconocer que poseo alas
Volar hacia ti,
Es valerse de ellas delicadamente.

Ma fragilité est ma force,
Ceux qui m'entourent également.
Quand j'accepte d'être *vulnérable*
Je dis oui à l'aide que la Vie met sur mon chemin.
J'accueille et je remercie
Dans toute la splendeur de mon état.

My fragility is my strength
And the strength of those around me.
When I accept being *vulnerable*
I agree to receive the help that Life sets on my path.
I receive and I give thanks
In all the magnificence of my state.

Mi fragilidad es mi fuerza
Así como aquellos que me rodean.
Cuando acepto ser *vulnerable*
Acojo la ayuda que la vida coloca en mi ruta.
Recibo y agradezco
En la plenitud de mi estado.

La *puissance* n'est pas dans la grandeur,
Mais dans la force du juste moment.

Strength does not rely upon size
But in the fortitude of the right instant.

La *fuerza* no reside en el tamaño
Sino en la fortaleza del momento preciso.

Émergence
Oser venir au monde
Montrer mes couleurs
Me *dévoiler*
Oser ma différence
ET Faire confiance que je peux encore voler.

Emergence
Dare to enter the world
Show my colors
Revealing myself
Daring to be different
I trust that I can still fly.

Emerger
Osar ingresar al mundo
Presentarme tal cual soy
Descubrirme
Atreverme a ser diferente
Confiar que aún puedo volar.

Nourrir l'autre par mes gestes,
L'aimer par mon engagement.

Nourish the other with my actions
Give love through my commitment.

Nutrir al otro con mis gestos
Amarlo con mi entrega.

Notre *beauté*
Est un reflet de la lumière qui nous habite.

Our *beauty*
Is a reflection of the light within.

Nuestra *belleza*
Es un reflejo de la luz que nos habita.

Apprivoiser l'*inconnu*
Pour qu'il ne nous effraie plus.

Tame the *unknown*
So it will not frighten us anymore.

Crear lazos con lo *desconocido*
Para no temerle más.

C'est dans le regard de l'*innocence*
Qu'un monde se laisse désarmer.

It is in the look of *innocence*
That disarms the world.

Es en la mirada de la *inocencia*
Que un mundo se hace apaciguar.

Oh Grand Seigneur,
Je te remercie.
À travers mes yeux,
Tu touches l'âme de celui qui croise mon *regard.*

Oh Great Lord,
I thank Thee
Thru my eyes
You touch the soul of those who you *look* upon.

Oh, gran Señor
 Gracias te doy
A través de mis ojos
Tocas el alma de aquel que cruza mi *mirada.*

Je ne t'aime pas parce que tu me *nourris,*
T'aimer me nourrit.

I don't love you because you *nourish* me,
Loving you nourishes me.

No te amo porque me *nutras*
Amarte es nutrirme.

Voir avec d'autres yeux.
Emprunter l'espace d'un autre pour voir autrement.
Changer de couleur l'espace d'un instant.
La *perfection* n'est pas
Et l'imperfection est parfaite.

To see with new eyes
To take someone's place to see differently
Changing the color space for an instant
Perfection does not exist
And imperfection is perfect.

Mirar con ojos diferentes
Ponerse en el lugar del otro para ver distinto
Cambiar de color el espacio por un instante.
La *perfección* no es
Y la imperfección es perfecta.

La beauté dans la *fragilité,*
La force dans la sensibilité
Et la reconnaissance d'être ainsi
Pour contribuer pleinement.

Beauty in *fragility*
Strength with sensitivity
Gratitude to be such
To contribute fully.

La belleza en la *fragilidad*
La fuerza en la sensibilidad
Y el reconocimiento de existir así
Para contribuir plenamente.

La beauté est dans l'œil de celui qui regarde[1],
À condition que celui qui regarde
Se place dans un état de *beauté.*

Beauty is in the eye of the beholder[1]
Providing that the beholder
Adopts a state of *beauty.*

La belleza está en los ojos de quien la mira[1]
Siempre y cuando aquel que la vea
Adopte un estado de *belleza.*

[1] Oscar Wilde.

Ta différence m'éloigne.
Quand je la transcende
Je t'aperçois tout à coup.
Aimer cette *différence,*
Car t'aimer peut vouloir dire
M'apprivoiser à te regarder.

Your difference puts me at a distance
When I transcend it
I see you suddenly.
To love that *difference*
Because loving you means
Bringing myself to really look at you.

Tu ser diferente me aleja.
Cuando trasciendo esa verdad
Repentinamente te descubro.
Amar tal *diferencia,*
Pues quererte puede significar
Llevarme a contemplarte.

Une *envolée,*
Celle que je peux vivre à chaque moment.
Prendre conscience de la beauté de mon paysage intérieur
Qui se renouvelle constamment.
Après le jour, la nuit.
Tous les deux nécessaires à l'envol de ma Vie.

A *flight*
One that I can live in every moment
Realize the beauty of my inner landscape
That renews itself constantly.
Night comes after day,
Both required in the flight of my life.

Un espectacular *vuelo*
El que puedo vivir a cada instante.
Tomar conciencia de la belleza de mi paisaje interior
 Que constantemente se renueva.
Después del día, la noche.
Ambos necesarios para el vuelo de mi vida.

Tierra
Ouest - West - Oeste

Force d'attraction,
Je me sens aspiré vers cette lumière que je suis aussi.
Animé de ce même *feu,*
C'est dans ma nature de rayonner
Et de respecter ces cycles qui font partie de moi.

Magnetic force
I am pulled towards that light that is also me.
Alive with the same *fire*
It is in my nature to radiate
To respect those cycles that are part of me.

Fuerza de atracción
Me siento transportar hacia esa luz que igualmente soy yo.
Animado por ese mismo *fuego*
Está en mi naturaleza brillar.
Respetar los ciclos que también forman parte de mí.

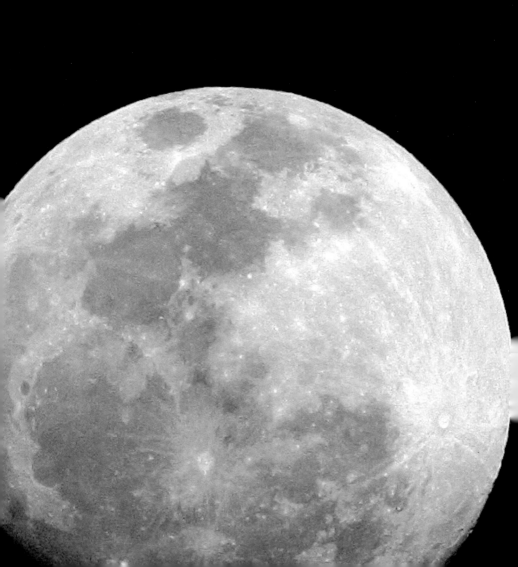

Un *mystère*.
La partie dans l'ombre
Qu'on devine sans voir,
Belle aussi,
Fait partie de notre entièreté.

A *Mystery*
The dark side
That we imagine but cannot see
Also beautiful
Part of our wholeness.

Suivre sa direction
Guidé par le *Souffle*.

Follow the way
Guided by the *Breeze*.

Seguir su dirección
Guiados por el *Viento*.

À perte de vue,
L'inconnu se révèle.
Ce que je ne vois pas
M'habite pourtant
Majestueusement

As far as the eyes can see
The unknown reveals itself.
What I don't see
Is nonetheless within me
Majestically.

Perdido en el horizonte
Se revela lo desconocido.
Aquello que no veo
Vive sin embargo en mí
Majestuosamente

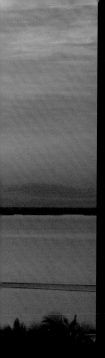

Je suis petit devant cette *immensité*
Et pourtant, je porte aussi tout un monde.

I feel small in front of this *vastness*
I nonetheless contain an entire world.

Me siento insignificante ante esta *inmensidad*
Y no obstante cargo también con todo un mundo.

Faire son *chemin*,
Se *Souvenir* que la voie
N'est pas toujours d'aller tout droit.

Following the *way*
Remembering that the path
Isn't always straight.

Trazar su propio *camino*
Recordar que la ruta
No es siempre recta.

Applaudir
Le plus beau
Levé de rideau.

Celebrate
The most beautiful.
The curtain is drawn.

Aplaudir
Al más bello
Alzar de telón.

Des *offrandes* à la mer,
Pour la remercier de me porter.

Offerings to the sea,
Grateful she carries me.

Ofrendas a la mar
En agradecimiento por llevarme.

Quand en moi tout s'*apaise*,
Je suis ce reflet,
Calme et majestueux,
Baigné de lumière.

When everything within me is *serene*
I am a reflection
Calm and majestic
Flooded with light.

Cuando todo en mí *se calma*
Soy ese reflejo
Quieto y majestuoso
Bañado de luz.

Le silence se fait.
J'entends l'eau qui m'habite.
Elle me remplit
Et me *chuchote* d'être à l'écoute.

Silence all around
I feel the water within
It swells inside me
And *whispers* to me to listen.

Se hace el silencio
Oigo el agua que me habita
Ella me llena
Y me *susurra* que debo estar a la escucha.

Un espace se crée
Au plus profond de moi.
Sacré,
Il m'invite à m'honorer.

A space is created
Deep in me.
Sacred
It invites me to honor myself.

Un espacio se crea
En lo más hondo de mí.
Sagrado
Me invita a honrarme.

Les *nuages* se dispersent.
Je reconnais alors les couleurs qui m'habitent.

Clouds scatter
Then I recognize the colors within me.

Las *nubes* se dispersan
Reconozco entonces los colores que me habitan.

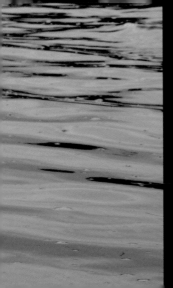

Le vertige du *silence*.
Plonger
Pour se souvenir comment nager.

Vertigo of *silence*.
Diving
Remembering how to swim.

Savoir quand prendre le large.
Simplement s'*arrêter*,
Afin de reconnaitre le moment.

To know when to depart.
Simply *pause*
To recognize the moment.

Saber cuándo hacerse mar adentro.
Simplemente *detenerse*
A fin de reconocer el momento.

Il *pleut* en moi,
Et la fertilité de cet instant
Fleurit déjà mon présent.

Rain falls within me
And the fertility of that moment
Blooms in the here and now.

Llueve dentro de mí
Y la fertilidad de ese instante
Florece ya en mi presente.

Oser entrer,
Car au milieu de ce monde merveilleux
Se trouve notre *âme.*

Dare to enter
For in the midst of this wondrous world
Lies our *soul.*

Osar entrar
Pues dentro de este maravilloso mundo
Se encuentra nuestra *alma.*

Quand je laisse la lumière entrer,
Je *rayonne* sans entraves
Et ce qui m'entoure
S'illumine.

When I let the light in
I *radiate* freely
And everything around me
Shines.

Cuando dejo entrar la luz
Irradio sin traba alguna
Y lo que me rodea
Se ilumina.

Cultura
Nord - North - Norte

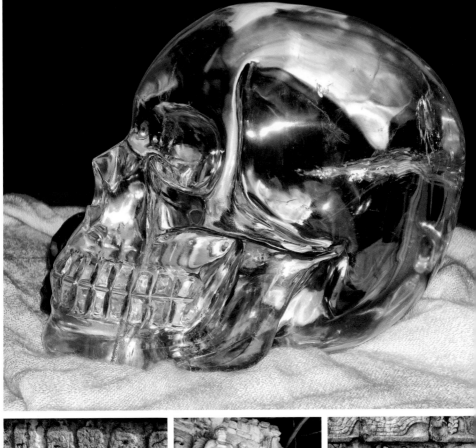

Se *dépouiller*
Permet d'accueillir toute mort
Comme un passage lumineux
Vers une plus grande transparence.

To *relinquish* oneself
Welcomes all deaths
Like a luminous path
Towards greater transparency.

Despojarse
Permite acoger todas las muertes
Como un pasaje luminoso
Hacia una mayor transparencia.

Mes *ancêtres*
S'agitent en moi.
Leurs différences se fait entendre,
Réconciliant celles qui m'habitent.

My *ancestors*
Stir within me.
Their differences are being heard
Reconciling within me.

Mis *ancestros*
Bullen en mí.
Sus diferencias se hacen oír
Reconciliándolas conmigo.

L'essentiel n'est pas le geste qu'on accomplit,
Mais de s'accomplir dans le geste.

Actions alone are not the *essence*
Essence is found when we grow through our actions.

Lo *esencial* no es el gesto que se lleva a efecto
Sino realizarse a través del gesto.

Le sacré de ces lieux
Me rappelle combien il est précieux
De *descendre* en moi chaque jour
Pour me visiter.

The sacredness of these places
Reminds me how precious it is
To *descend* within myself each day
To visit myself.

Lo sagrado de estos lugares
Me recuerda lo precioso que es
Descender todos los días en mí mismo
Para visitarme.

Nous faisons le portage
De ce qui nous construit,
Alors, la *traversée* devient possible.

We endure what we build
Hence we can *sail.*

Cargando con nosotros
Aquello de lo que estamos hechos
Llevamos a cabo la *travesía.*

Tenir dans ses mains
La *Vie*
Comme le don le plus précieux
Offert par les Dieux.

To hold in one's hands
Life
The most precious of gifts
Offered by the Gods.

Sostener en sus manos
La *Vida*
Como el don más preciado
Brindado por los dioses.

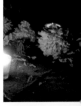

Honorer ce qui apporte la paix intérieure.

Regarder ce qui a été.

Voir paisiblement ce qui est et ce qui sera.

Ceux de l'autre côté ne peuvent que veiller sur nous

Pour que nous demeurions vivants tant que nous sommes en vie.

Honoring what brings inner peace.

Recognize what was.

Look peacefully at what is and what will be.

Those who are on the other side can only watch over us

So we stay alive while we are living.

Honrar lo que procura la paz interior.

Contemplar lo que fue.

Ver apaciblemente lo que es y lo que será.

Aquellos que están al otro lado sólo pueden velar por nosotros

Para que nos mantengamos en vida mientras vivimos.

Majestueuse présence,
Témoin de tant de vies
Préservant avec grâce
Ce qui reste à venir.

Majestic presence
Witness to many lives
Guarding gracefully
What is still to come.

Majestuosa presencia
Testigo de tantas vidas
Custodia con donaire
Lo que falta por venir.

Comme si s'envoler pouvait aussi vouloir dire
Rester.

Perhaps flying could also mean
Staying.

Como si alejarse volando
Pudiera también significar
Quedarse.

Dans mes terres, j'ai pénétré,
Prêt à découvrir comment voyager.
Suivre le *courant*
Demeure le meilleur moyen d'y arriver.

Into the landscape I entered
Ready to discover how to travel.
Following the *flow*
Remains the way.

Me ha adentrado en mis tierras
Dispuesto a descubrir cómo viajar.
Seguir el flujo de la *corriente*
Es la mejor manera de llegar.

Je *veille* sur la mer.
Solide, je vois venir.
Où ma vision sera claire,
Je demeure.

I *watch* over the sea
Sturdy, ahead I see.
Where my sight is best
Is where I rest.

Vigilo la mar.
Firme, veo lo que viene.
Ahí donde mi visión es más clara
Ahí permanezco.

Une à une,
Les marches de mon *temple*.
Me poser.
Admirer ce qui monte en moi.

One by one
The steps of my *temple*.
Then linger.
Admire what arises within.

Uno a uno
Los escalones de mi *templo*.
Detenerme.
Admirar lo que crece en mí.

Répéter des gestes *consciemment*
Nourrit tout autrement.

Consciously repeated actions
Nourishes quite differently.

Repetir gestos de manera *consciente*
Nutre de otro modo totalmente.

La mort dans le *Sourire*
Pour l'accueil d'un autre état.
Avancer vers la mort en souriant
Le cœur léger de savoir
Que de l'autre côté de cette étape
Se trouve la lumière.

Death with a *smile*
Welcomes another state.
Facing death with a smile
Light hearted.
On the other side
Is the light.

La muerte en la *sonrisa*
Para abrazar otro estado.
Avanzar hacia la muerte sonriendo
El corazón ligero al saber
Que al otro lado de esta etapa
Se encuentra la luz.

La fierté d'une *culture*.
La beauté de la différence.
Honorer ces peuples
Qui nous habitent tous.

The pride of a *culture*
The beauty of difference
To honor these people
Who reside within us all.

El orgullo de una *cultura*
La belleza de la diferencia
Honrar a esos pueblos
Que viven en todos nosotros.

Nos *célébrations* se ressemblent,
Car au-delà des différences
Elles pacifient nos cœurs.

Our *celebrations* are similar.
Behold our differences,
They pacify our hearts.

Nuestras *celebraciones* son similares.
Aún más allá de nuestras diferencias
Apaciguan nuestros corazones.

Je reconnais que mon *héritage* est précieux
Quand je le porte avec légèreté.

I am aware that my *heritage* is valuable
When I bear it lightly.

Reconozco que mi *herencia* ancestral es valiosa
Cuando la cargo con mesura.

Liste des inages / List of images / Lista de imágenes

FLORA

FAUNA

Auteurs

Josée Godbout est coach d'affaires et personnel ainsi q'une artiste. Elle offre de l'accompagnement dans les transitions de vie pour aider à faire des choix cohérents avec soi-même. Elle œuvre au Québec, au Mexique et ailleurs. Protecteur maya de la nature, Jorge Machado Castro est guide naturaliste et photographe. Il offre des accompagnements dans les terres ancestrales. Il aide aussi les gens à voir différemment.

Authors

Josée Godbout is a coach and an artist. She assists people with their personal and business affairs as they go through transitions, helping them make coherent choices for themselves. She works in Quebec and Mexico, among other places. A Mayan conservationist, Jorge Machado Castro is a nature guide and photographer. He offers guided walks through ancestral lands, and helps people see things in a new light.

Autores

Josée Godbout es consejera en asuntos de negocios y de carácter personal y una artista. En procesos de transición, asesora de manera individual o familiar con miras a dar apoyo a una elección coherente consigo mismo. Desempeña su actividad en Quebec y México, entre otros lugares. Jorge Machado Castro, es conservacionista maya, guía naturalista y fotógrafo. Ofrece sus servicios como acompañante en tierras ancestrales y proporciona consejo con el fin de mirar las cosas a través de otro cristal.

1 $ par livre ira au Fonds de Solidarité de Spiritours et Voyage Momentum, pour permettre à des gens de se retrouver ou de découvrir par le voyage.

$1 per book will be given to the ''Fond de solidarité'' de Spiritours, Voyage Momentum.

1 $ por cada libro que sera entregado al "Fond de solidarité" de Spiritours y Voyage Momentum para permitir a las personas de reencontrarse o de descubrir por el viaje.

«Cet ouvrage a été produit avec la collaboration et l'appui de Spiritours, voyagiste spécialisé dans les voyages de ressourcement».

www.spiritours.com

Pour plus d'informations / For More Information / Para más información

Contacter / Contact / Contactar

Josée Godbout
DRIVE COACHING
Montréal
info@drive-coaching.com
www.drive-coaching.com

Un merci spécial pour la collaboration \ A special thank you for the special collaboration of \ Un agradecimiento especiale a : Laurent Frey, Francois Morin, Dominique Pépin, Michel-Henri Goyette, Iqi Balam, Anne Godbout, Maricarmen & Peter Michelsen.